Kam

Disfruta de todos nuestros libros gratis...

Interesantes biografías, atractivas presentaciones y más.
Únete al exclusivo club de críticos de la Biblioteca Unida!
Recibirás un nuevo libro en tu buzón cada viernes.
Únase a nosotros hoy, vaya a:
https://campsite.bio/unitedlibrary

Introducción

Después de asistir a la Universidad Howard y a la Escuela de Derecho Hastings de la Universidad de California, Kamala Harris se embarcó en un ascenso a través del sistema jurídico de California, emergiendo como fiscal general del estado en 2010.

Tras las elecciones de noviembre de 2016, Harris se convirtió en la segunda mujer afroamericana y la primera sudasiática en ganar un escaño en el Senado de los Estados Unidos. Declaró su candidatura para las elecciones presidenciales de Estados Unidos en 2020 el día de Martin Luther King Jr. en 2019, pero abandonó la carrera antes de finales de año.

En agosto de 2020, Joe Biden anunció a Harris como compañero de fórmula para la vicepresidencia y, tras una reñida carrera, Biden y Harris fueron elegidos en noviembre de 2020.

"El sueño americano nos pertenece a todos." - Kamala Harris

Esta es la biografía descriptiva y concisa de Kamala Harris.

Índice

Kamala Harris

Kamala Devi Harris (nacida el 20 de octubre de 1964) es una política y abogada estadounidense que es la vicepresidenta electa de los Estados Unidos. Miembro del Partido Demócrata, asumirá el cargo el 20 de enero de 2021, junto con el presidente electo Joe Biden, tras haber derrotado al presidente en ejercicio Donald Trump y al vicepresidente Mike Pence en las elecciones de 2020. Será la primera mujer vicepresidenta de los Estados Unidos y la funcionaria electa de mayor rango en la historia de los Estados Unidos. Harris será también la primera vicepresidenta asiático-estadounidense y la primera afro-estadounidense y la primera vicepresidenta no blanca desde Charles Curtis, que estuvo al mando de Herbert Hoover de 1929 a 1933.

Nacido en Oakland, California, Harris se graduó en la Universidad Howard y en el Hastings College of the Law de la Universidad de California. Comenzó su carrera en la Oficina del Fiscal de Distrito del Condado de Alameda antes de ser contratada en la Oficina del Fiscal de Distrito de San Francisco y posteriormente en la Oficina del Fiscal de la Ciudad de San Francisco.

En 2003, fue elegida fiscal del distrito de San Francisco. Fue elegida Fiscal General de California en 2010 y reelegida en 2014. Harris ha sido la senadora junior de los Estados Unidos por California desde 2017. Harris derrotó a Loretta Sanchez en las elecciones al Senado de 2016 para convertirse en la segunda mujer afroamericana y la primera sudasiática americana en servir en el Senado de los Estados Unidos. Como senadora, ha abogado por la reforma de la salud, la despenalización federal del cannabis, un camino hacia la ciudadanía para los inmigrantes indocumentados, la Ley DREAM, la prohibición de las armas de asalto y la reforma fiscal progresiva. Obtuvo un perfil nacional por su interrogatorio puntual a los funcionarios de la administración de Trump durante las audiencias del Senado, incluyendo al segundo nominado a la Corte Suprema de Trump, Brett Kavanaugh, quien fue acusado de asalto sexual.

Harris se postuló para la nominación presidencial demócrata de 2020 y terminó su campaña el 3 de diciembre de 2019. Fue anunciada como compañera de fórmula de Biden el 11 de agosto de 2020. El 7 de noviembre de 2020, la carrera fue convocada a favor de la candidatura de Biden-Harris.

Vida y educación tempranas (1964-1990)

Harris nació en Oakland, California, el 20 de octubre de 1964. Su madre, Shyamala Gopalan, bióloga cuyo trabajo sobre el gen del receptor de progesterona estimuló los avances en la investigación del cáncer de mama, había llegado a los Estados Unidos desde Tamil Nadu en la India en 1958 como estudiante de posgrado de 19 años de edad en nutrición y endocrinología en la Universidad de California, Berkeley; Gopalan recibió su doctorado en 1964. Su padre, Donald J. Harris, es un profesor emérito de economía de la Universidad de Stanford que llegó a los Estados Unidos desde la Jamaica británica en 1961 para realizar estudios de posgrado en la Universidad de California en Berkeley, y obtuvo un doctorado en economía en 1966.
Junto con su hermana menor, Maya, Harris vivió en Berkeley, California, brevemente en la calle Milvia en el centro de Berkeley, y luego en un dúplex en Bancroft Way en el oeste de Berkeley, una zona a menudo llamada "las tierras planas" con una importante población negra.

Cuando Harris comenzó el jardín de infantes, fue llevada en autobús como parte del programa integral de desegregación de Berkeley a la Escuela Primaria Thousand Oaks, una escuela pública en un vecindario más próspero en el norte de Berkeley que anteriormente había sido 95 por ciento blanca, y después de que el plan de desegregación entró en vigor, se convirtió en 40 por ciento negra. Un vecino llevaba regularmente a las niñas Harris a una iglesia afroamericana en Oakland, donde cantaban en el coro de niños. Su madre las introdujo en el hinduismo y las llevó a un templo hindú cercano, donde cantaba ocasionalmente.

Cuando eran niños, ella y su hermana visitaron a la familia de su madre en Madrás (ahora Chennai) varias veces. Dice que ha sido fuertemente influenciada por su abuelo materno P. V. Gopalan, un funcionario público indio jubilado cuyas opiniones progresistas sobre la democracia y los derechos de la mujer la impresionaron. Harris se ha mantenido en contacto con sus tíos y tías indios durante toda su vida adulta. Harris también ha visitado a la familia de su padre en Jamaica.

Sus padres se divorciaron cuando ella tenía siete años. Harris ha dicho que cuando ella y su hermana visitaban a su padre en Palo Alto los fines de semana, a otros niños del barrio no se les permitía jugar con ellos porque eran negros. Cuando tenía doce años, Harris y su hermana se mudaron con su madre a Montreal, Quebec, Canadá, donde Shyamala había aceptado un puesto de investigación y enseñanza en el Hospital General Judío afiliado a la Universidad McGill. Asistió a una escuela primaria francófona, Notre-Dame-des-Neiges, y luego a la Escuela Secundaria Westmount en Westmount, Quebec, donde se graduó en 1981.

Wanda Kagan, una amiga de Harris de la secundaria, le dijo más tarde a *CBC News* en 2020 que Harris era su mejor amiga y describió cómo le confió a Harris que estaba siendo abusada por su padrastro. Dijo que Harris le dijo a su madre, quien insistió en que Kagan viniera a vivir con ellos por el resto de su último año de secundaria. Kagan dijo que Harris le había dicho recientemente que su amistad y el hecho de haber desempeñado un papel en la lucha contra la explotación de Kagan, ayudaron a formar el compromiso que Harris sentía en la protección de las mujeres y los niños cuando Harris era fiscal.

Después de la secundaria, en 1982, Harris asistió a la Universidad Howard, una universidad históricamente negra en Washington, DC. Mientras estaba en Howard, hizo una pasantía como empleada de la sala de correo del senador de California Alan Cranston, presidió la sociedad de economía, dirigió el equipo de debate y se unió a la hermandad Alpha Kappa Alpha. Harris se graduó de Howard en 1986 con una licenciatura en ciencias políticas y económicas.

Harris regresó a California para asistir a la facultad de derecho de la Universidad de California, Hastings College of the Law, a través de su Programa de Oportunidades de Educación Legal (LEOP). Mientras estaba en la Universidad de California Hastings, se desempeñó como Presidente de su capítulo de la Asociación de Estudiantes Negros de Derecho. Se graduó con un Doctorado en Derecho en 1989 y fue admitida en el Colegio de Abogados de California en junio de 1990.

Inicio de la carrera (1990-2004)

En 1990, Harris fue contratada como ayudante del fiscal de distrito en el condado de Alameda, California, donde se le señaló como "una fiscal capaz en ascenso".

En 1994, el Presidente de la Asamblea de California, Willie Brown, que en ese momento salía con Harris, la nombró miembro de la Junta de Apelaciones del Seguro de Desempleo del estado y más tarde de la Comisión de Asistencia Médica de California. Harris tomó una licencia de seis meses en 1994 para cumplir con sus obligaciones como fiscal, y luego volvió a serlo durante los años en que formó parte de las juntas. La conexión de Harris con Brown se señaló en los reportajes de los medios de comunicación como parte de una pauta de los líderes políticos de California que nombran "amigos y soldados políticos leales" para puestos lucrativos en las comisiones. Harris ha defendido su trabajo.

En febrero de 1998, el fiscal de distrito de San Francisco, Terence Hallinan, contrató a Harris como asistente del fiscal de distrito. Allí se convirtió en la jefa de la División Penal de Carrera, supervisando a otros cinco abogados, donde procesó casos de homicidio, robo con allanamiento de morada, robo y agresión sexual, en particular casos de tres delitos.

Según se informa, en 2000, Harris se enfrentó con el asistente de Hallinan, Darrell Salomon, por la Proposición 21, que concedía a los fiscales la opción de juzgar a los acusados menores de edad en el Tribunal Superior en lugar de en los tribunales de menores. Harris hizo campaña contra la medida, que fue aprobada. Salomon se opuso a dirigir las preguntas de los medios de comunicación sobre la Proposición 21 a Harris y la reasignó, una degradación *de facto*. Harris presentó una queja contra Salomón y renunció.

En agosto de 2000, Harris tomó un nuevo trabajo en el Ayuntamiento de San Francisco, trabajando para la fiscal de la ciudad Louise Renne. Harris dirigió la División de Servicios Familiares e Infantiles, representando casos de abuso y negligencia infantil. Renne apoyó a Harris durante su campaña de fiscalía.

Fiscal del Distrito de San Francisco (2004-2011)

En 2002, Harris se preparó para presentarse como candidato a Fiscal del Distrito de San Francisco contra Hallinan (el titular) y Bill Fazio. Harris era el menos conocido de los tres candidatos, pero convenció al Comité Central de que no apoyara a Hallinan. Harris y Hallinan avanzaron a la segunda vuelta de las elecciones generales con el 33 y el 37 por ciento de los votos, respectivamente.

En la segunda vuelta, Harris se comprometió a no pedir nunca la pena de muerte y a procesar a los delincuentes de tres delitos sólo en casos de delitos violentos. Harris llevó a cabo una campaña "enérgica", con la ayuda del ex alcalde Willie Brown, la senadora Dianne Feinstein, el escritor y caricaturista Aaron McGruder y los comediantes Eddie Griffin y Chris Rock.

Harris se diferenció de Hallinan al atacar su actuación. Argumentó que dejó su oficina porque era tecnológicamente inepta, haciendo hincapié en su tasa de condenas del 52 por ciento por delitos graves, a pesar de que la tasa media de condenas en todo el estado es del 83 por ciento. Harris acusó a su oficina de no hacer lo suficiente para detener la violencia armada de la ciudad, particularmente en los barrios pobres como Bayview y el Tenderloin, y atacó su disposición a aceptar acuerdos de culpabilidad en los casos de violencia doméstica. Harris ganó con el 56 por ciento de los votos, convirtiéndose en la primera persona de color elegida como fiscal del distrito de San Francisco.

La seguridad pública

Tasa de condenas por delitos graves

Justo antes de que Harris asumiera el cargo, la tasa de condenas por delitos graves era del 50 por ciento; en 2009, era del 76 por ciento. Las condenas de los traficantes de drogas aumentaron del 56 por ciento en 2003 al 74 por ciento en 2006. Harris se presentó sin oposición en 2007.

Crímenes no violentos

En 2004, la oficina de Harris acusó a dos empleados de la imprenta de tirar tinta de impresión peligrosa en el barrio de Bayview; los dos hombres se declararon culpables y recibieron libertad condicional. En el verano de 2005, Harris creó una unidad de crímenes ambientales.

En 2007, Harris y el fiscal de la ciudad Dennis Herrera investigaron al supervisor de San Francisco, Ed Jew, por violar los requisitos de residencia necesarios para ocupar su puesto de supervisor; Harris acusó a Jew de nueve delitos graves, alegando que había mentido bajo juramento y falsificado documentos para que pareciera que residía en un hogar del distrito de Sunset, necesario para poder presentarse a supervisor en el 4° distrito. En octubre de 2008, Jew se declaró culpable de cargos federales de corrupción no relacionados (fraude postal, solicitud de soborno y extorsión) y al mes siguiente se declaró culpable en un tribunal estatal de un cargo de perjurio por haber mentido sobre su dirección en formularios de nominación, como parte de un acuerdo de culpabilidad en el que se retiraron los demás cargos estatales. El judío aceptó no volver a ocupar nunca más un cargo electo en California. Harris describió el caso como "sobre la protección de la integridad de nuestro proceso político, que es parte del núcleo de nuestra democracia". "Por sus ofensas federales, Jew fue sentenciado a 64 meses de prisión federal y una multa de $10,000; por la condena estatal por perjurio, Jew fue sentenciado a un año en la cárcel del condado, tres años de libertad condicional y cerca de $2,000 en multas.

Bajo el mandato de Harris, la oficina del fiscal de distrito obtuvo más de 1.900 condenas por delitos de marihuana, incluyendo personas condenadas simultáneamente por delitos de marihuana y delitos más graves. La tasa de enjuiciamiento de los delitos relacionados con la marihuana por parte de la oficina de Harris fue mayor que la tasa correspondiente a Hallinan.

Sin embargo, el número de acusados condenados a la prisión estatal por esos delitos fue sustancialmente menor. Los procesamientos por delitos de bajo nivel de marihuana eran raros bajo el mandato de Harris, y su oficina tenía la política de no perseguir el encarcelamiento por delitos de posesión de marihuana. El sucesor de Harris como fiscal, George Gascón, eliminó todos los delitos de marihuana de San Francisco desde 1975.

Crímenes violentos

A principios de 2000, la tasa de asesinatos de San Francisco per cápita superó la media nacional. En los primeros seis meses de asumir el cargo, Harris resolvió 27 de los 74 casos de homicidio atrasados, resolviendo 14 mediante un acuerdo de culpabilidad y llevando a 11 a juicio; de esos juicios, nueve terminaron con condenas y dos con jurados en desacuerdo. Llevó 49 casos de crímenes violentos a juicio y consiguió 36 condenas. Entre 2004 y 2006, Harris logró una tasa de condenas del 87% por homicidios y una tasa de condenas del 90% por todos los delitos graves con armas de fuego.

Harris también abogó por una mayor fianza para los acusados de delitos relacionados con armas de fuego, argumentando que una fianza históricamente baja animaba a los forasteros a cometer delitos en San Francisco. Los oficiales de la policía de San Francisco acreditaron a Harris por haber cerrado las brechas que los acusados habían usado en el pasado. Además de crear una unidad de delitos con armas de fuego, Harris se opuso a la liberación de los acusados por su propia cuenta si eran arrestados por delitos con armas de fuego, buscó sentencias mínimas de 90 días por posesión de armas ocultas o cargadas, y acusó a todos los casos de posesión de armas de asalto como delitos graves, añadiendo que buscaría penas de prisión para los delincuentes que poseyeran o utilizaran armas de asalto y buscaría penas máximas para los delitos con armas de fuego.

En mayo de 2005, el delincuente sexual condenado Roberto Gamero irrumpió en una casa del distrito de Ingleside y agredió sexualmente a un niño de nueve años. Gamero fue arrestado bajo los cargos de agresión sexual agravada a un niño, abuso sexual de menores, encarcelamiento falso, robo, y más tarde fue condenado a más de 17 años de prisión.

Ese verano, la oficina de Harris presentó tres cargos de asesinato con circunstancias especiales contra LaShaun Harris, quien fue visto arrojando a sus hijos pequeños - de 6, 2 y 16 meses - a la Bahía de San Francisco. LaShaun Harris, que tiene esquizofrenia paranoide, se declaró inocente de tres cargos, diciendo que había oído "la voz de Dios" diciéndole que "sacrificara" a sus hijos. Un jurado la encontró culpable de asesinato en segundo grado, pero el juez dictaminó que estaba loca y ordenó que fuera hospitalizada de 25 años a perpetua. La condena fue confirmada en la apelación.

Harris creó una Unidad de Crímenes de Odio, centrada en los crímenes de odio contra niños y adolescentes LGBT en las escuelas. A principios de 2006, Gwen Araujo, una adolescente latina transgénero americana de 17 años, fue asesinada por dos hombres que más tarde utilizaron la "defensa del pánico gay" antes de ser condenados por asesinato en segundo grado. Junto con la madre de Araujo, Sylvia Guerrero, Harris convocó una conferencia de dos días de duración con al menos 200 fiscales y agentes del orden público de todo el país para discutir estrategias para contrarrestar dichas defensas legales. Posteriormente, Harris apoyó la ley AB 1160, la Ley de Justicia para las Víctimas de Gwen Araujo, abogando por que el código penal de California incluya instrucciones para que el jurado ignore el sesgo, la simpatía, el prejuicio o la opinión pública al tomar su decisión, haciendo también obligatorio que las oficinas del fiscal de distrito en California eduquen a los fiscales sobre las estrategias de pánico y cómo evitar que el sesgo afecte a los resultados de los juicios.

En septiembre de 2006, el gobernador de California, Arnold Schwarzenegger, firmó la ley AB 1160; la ley dejó constancia de que California declaró contrario a la política pública que los acusados fueran absueltos o condenados por un delito menos grave basado en apelaciones al "sesgo social".

En agosto de 2007, el asambleísta estatal Mark Leno presentó una legislación para prohibir los espectáculos de armas en el Palacio de la Vaca, al que se unieron Harris, la jefa de policía Heather Fong y el alcalde Gavin Newsom. Los líderes de la ciudad sostuvieron que los espectáculos estaban contribuyendo directamente a la proliferación de armas ilegales y al aumento de las tasas de homicidio en San Francisco (Newsom, a principios de ese mes, firmó una ley local que prohibía los espectáculos de armas en la ciudad y el condado). Leno alegó que los comerciantes pasaban por las urbanizaciones públicas cercanas y vendían armas ilegalmente a los residentes. Aunque el proyecto de ley se estancó, la oposición local a los espectáculos continuó hasta que la Junta Directiva de Cow Palace en 2019 votó para aprobar una declaración que prohibía todos los futuros espectáculos de armas.

Esfuerzos de reforma

Pena de muerte

Harris ha dicho que la cadena perpetua sin libertad condicional es un castigo mejor y más rentable que la pena de muerte y ha estimado que el ahorro de costes resultante podría pagar mil policías adicionales sólo en San Francisco.

Durante su campaña, Harris se comprometió a no pedir nunca la pena de muerte. Después de que un oficial del Departamento de Policía de San Francisco fuera asesinado a tiros en 2004, la senadora estadounidense (y ex alcaldesa de San Francisco) Dianne Feinstein, la senadora estadounidense Barbara Boxer, el alcalde de Oakland Jerry Brown y la Asociación de Oficiales de Policía de San Francisco presionaron a Harris para que revocara esa posición, pero ella no lo hizo. Cuando Edwin Ramos, un inmigrante ilegal y presunto miembro de una pandilla MS-13, fue acusado de asesinar a un hombre y a sus dos hijos en 2009, Harris solicitó una sentencia de cadena perpetua sin libertad condicional, una decisión que el alcalde Gavin Newsom respaldó.

Iniciativa de reincidencia y reentrada

En 2004, Harris reclutó al activista de derechos civiles Lateefah Simon para crear la División de Reingreso de San Francisco. El programa insignia fue la iniciativa Back on Track, un programa de reingreso para delincuentes no violentos de 18 a 30 años. Los participantes de la iniciativa cuyos delitos no estuvieran relacionados con armas o bandas se declaraban culpables a cambio de un aplazamiento de la sentencia y de comparecencias regulares ante un juez durante un período de doce a dieciocho meses. El programa mantenía rigurosos requisitos de graduación, exigiendo la realización de hasta 220 horas de servicio comunitario, la obtención de un diploma de equivalencia a la escuela secundaria, el mantenimiento de un empleo estable, la asistencia a clases para padres y la aprobación de pruebas de drogas.

En la graduación, el tribunal desestimaría el caso y borraría el expediente del graduado. Durante seis años, las 200 personas que se graduaron del programa tuvieron un índice de reincidencia de menos del diez por ciento, en comparación con el 53 por ciento de los delincuentes de drogas de California que volvieron a la cárcel en los dos años siguientes a su liberación. Back on Track obtuvo el reconocimiento del Departamento de Justicia de los EE.UU. como un modelo para los programas de reingreso. El DOJ encontró que el costo para los contribuyentes por participante era marcadamente más bajo ($5,000) que el costo de adjudicar un caso ($10,000) y alojar a un delincuente de bajo nivel ($50,000).

En 2009, se promulgó una ley estatal (la Ley de Reingreso en el Camino, AB 750), que alienta a otros condados de California a iniciar programas similares. Adoptada por la Asociación Nacional de Fiscales de Distrito como modelo, las oficinas de los fiscales en Baltimore, Filadelfia y Atlanta han utilizado Back on Track como modelo para sus propios programas.

Iniciativa de ausentismo escolar

En 2006, como parte de una iniciativa para reducir la elevada tasa de homicidios de la ciudad, Harris dirigió un esfuerzo en toda la ciudad para combatir el ausentismo escolar de los jóvenes en situación de riesgo en las escuelas primarias de San Francisco. Declarando que el ausentismo escolar crónico es un asunto de seguridad pública y señalando que la mayoría de los reclusos y las víctimas de homicidio son desertores escolares o ausentes habituales, la oficina de Harris se reunió con miles de padres de escuelas de alto riesgo y envió cartas advirtiendo a todas las familias de las consecuencias legales del ausentismo escolar al comienzo del semestre de otoño, añadiendo que procesaría a los padres de los estudiantes de primaria con ausentismo escolar crónico; las penas incluían una multa de 2.500 dólares y hasta un año de cárcel. El programa fue controvertido cuando se introdujo.

En 2008, Harris emitió citaciones contra seis padres cuyos hijos perdieron al menos cincuenta días de escuela, la primera vez que San Francisco procesó a adultos por ausentismo escolar. El jefe de la escuela de San Francisco, Carlos García, dijo que el camino desde el absentismo escolar hasta el enjuiciamiento era largo y que el distrito escolar suele pasar meses alentando a los padres mediante llamadas telefónicas, cartas recordatorias, reuniones privadas, audiencias ante la Junta de Revisión de la Asistencia Escolar y ofertas de ayuda de los organismos municipales y los servicios sociales; dos de los seis padres no se declararon culpables, pero dijeron que trabajarían con la oficina del fiscal y los organismos de servicios sociales para crear "planes de responsabilidad parental" que les ayudaran a empezar a enviar a sus hijos a la escuela con regularidad.
En abril de 2009, 1.330 alumnos de la escuela primaria eran habituales o tenían un absentismo escolar crónico, lo que supone una reducción del 23 por ciento con respecto a los 1.730 de 2008, y una disminución con respecto a los 2.517 de 2007 y los 2.856 de 2006. La oficina de Harris procesó a siete padres en tres años, y ninguno fue encarcelado.

"Habrá gente que te dirá: 'Estás fuera de tu carril'. Están agobiados por tener sólo la capacidad de ver lo que siempre ha sido en lugar de lo que puede ser. Pero no dejes que eso te agobie". - Kamala Harris

Fiscal General de California (2011-2017)

Elecciones

2010

El 12 de noviembre de 2008, Harris anunció su candidatura a fiscal general de California. Las dos senadoras de California, Dianne Feinstein y Barbara Boxer, la presidenta de la Cámara de Representantes Nancy Pelosi, la cofundadora de la Unión de Trabajadores Agrícolas Dolores Huerta y el alcalde de Los Ángeles Antonio Villaraigosa la respaldaron durante las primarias. En las primarias del 8 de junio de 2010, fue nominada con el 33,6 por ciento de los votos, derrotando a Alberto Torrico y Chris Kelly.

En las elecciones generales, se enfrentó al fiscal de distrito republicano del condado de Los Ángeles, Steve Cooley, que lideró la mayor parte de la carrera. Cooley se postuló como no partidista, distanciándose de la campaña de Meg Whitman. Las elecciones se celebraron el 2 de noviembre, pero tras un largo período de recuento de votos por correo y provisionales, Cooley cedió el 25 de noviembre. Harris prestó juramento el 3 de enero de 2011; es la primera mujer, la primera afroamericana y la primera sudasiática que ocupa el cargo de Fiscal General en la historia del estado.

2014

Harris anunció su intención de presentarse a la reelección en febrero de 2014 y presentó los papeles para presentarse el 12 de febrero. *El Sacramento Bee*, *Los Angeles Daily News* y *Los Angeles Times la* apoyaron para su reelección. El 4 de noviembre de 2014, Harris fue reelegido contra el republicano Ronald Gold, ganando el 57.5 por ciento de los votos contra el 42.5 por ciento.

Protección del consumidor

Fraude, despilfarro y abuso

En 2011, Harris anunció la creación de la Fuerza de Ataque contra el Fraude Hipotecario a raíz de la crisis de las ejecuciones hipotecarias de los Estados Unidos de 2010. Ese mismo año, Harris obtuvo dos de las mayores recuperaciones en la historia de la Ley de Reclamos Falsos de California - $241 millones de Quest Diagnostics y luego $323 millones de la red de atención médica de SCAN - sobre el exceso de pagos estatales de Medi-Cal y federales de Medicare.

En 2012, Harris aprovechó la influencia económica de California para obtener mejores condiciones en el Acuerdo Nacional de Hipotecas contra los cinco mayores administradores de hipotecas del país: JPMorgan Chase, Bank of America, Wells Fargo, Citigroup y Ally Bank. Las empresas hipotecarias fueron acusadas de ejecutar ilegalmente las hipotecas de los propietarios. Después de desestimar una oferta inicial de 2 a 4 mil millones de dólares de alivio para los californianos, Harris se retiró de las negociaciones. La oferta finalmente se incrementó a 18.400 millones de dólares en alivio de la deuda y 2.000 millones de dólares en otras ayudas financieras para los propietarios de viviendas de California.

En 2013, Harris trabajó con el presidente de la Asamblea John Pérez y el presidente *del Senado pro tem* Darrell Steinberg en 2013 para presentar la Declaración de Derechos de los Propietarios de Viviendas, considerada una de las protecciones más fuertes en todo el país contra las agresivas tácticas de ejecución hipotecaria. La Declaración de Derechos de los Propietarios de Viviendas prohibió las prácticas de "doble seguimiento" (procesar una modificación y una ejecución hipotecaria al mismo tiempo) y la firma electrónica, y proporcionó a los propietarios de viviendas un único punto de contacto en su institución crediticia. Harris logró múltiples acuerdos de nueve cifras para los propietarios de viviendas de California en el marco de la ley, principalmente por la firma electrónica y los abusos de la doble vía, así como el enjuiciamiento de los casos en que los procesadores de préstamos no acreditaban rápidamente los pagos de la hipoteca, calculaban erróneamente los tipos de interés y cobraban a los prestatarios honorarios indebidos. Harris consiguió cientos de millones de dólares en ayuda, incluidos 268 millones de dólares de Ocwen Financial Corporation, 470 millones de dólares de HSBC y 550 millones de dólares de SunTrust Banks.

De 2013 a 2015, Harris persiguió recuperaciones financieras para las pensiones de empleados públicos y maestros de California, CalPERS y CalSTRS, contra varios gigantes financieros por la tergiversación en la venta de valores respaldados por hipotecas. Aseguró múltiples recuperaciones de nueve cifras para las pensiones del estado, recuperando alrededor de 193 millones de dólares de Citigroup, 210 millones de dólares de S&P, 300 millones de dólares de JP Morgan Chase y más de 500 millones de Bank of America.

En 2013, Harris se negó a autorizar una demanda civil redactada por investigadores estatales que acusaban a OneWest Bank, propiedad de un grupo de inversión encabezado por el futuro secretario del tesoro de los Estados Unidos, Steven Mnuchin (entonces un ciudadano particular), de "violación generalizada" de las leyes de ejecución de hipotecas de California. Durante las elecciones de 2016, Harris fue el único candidato demócrata al Senado que recibió una donación de Mnuchin. Harris fue criticado por aceptar la donación porque Mnuchin supuestamente se benefició de la crisis de las hipotecas de alto riesgo a través de OneWest Bank; posteriormente votó en contra de su confirmación como secretario del tesoro en febrero de 2017.

En 2019, la campaña de Harris declaró que la decisión de no proseguir el enjuiciamiento dependía de la incapacidad del Estado para citar a OneWest. Su secretario de prensa dijo: "No hay duda de que OneWest realizó préstamos depredadores, y el senador Harris cree que deben ser castigados. Desafortunadamente, la ley estaba de su lado, y estaban protegidos de las citaciones estatales porque son un banco federal".

En 2014, Harris resolvió los cargos que había presentado contra el minorista de alquiler con opción a compra Aaron's, Inc. por acusaciones de cargos tardíos incorrectos, cobro excesivo a los clientes que pagaron sus contratos antes de la fecha de vencimiento y violaciones de la privacidad. En el acuerdo, el minorista devolvió 28,4 millones de dólares a los clientes de California y pagó 3,4 millones de dólares en concepto de sanciones civiles.

En 2015, Harris obtuvo una sentencia de 1.200 millones de dólares contra la empresa con fines de lucro de educación postsecundaria Corinthian Colleges por publicidad falsa y marketing engañoso dirigido a estudiantes vulnerables y de bajos ingresos y por tergiversar las tasas de colocación de empleo a estudiantes, inversores y agencias de acreditación. El tribunal ordenó a Corinthian pagar 820 millones de dólares en restitución y otros 350 millones de dólares en sanciones civiles. Ese mismo año, Harris también logró un acuerdo de 60 millones de dólares con JP Morgan Chase para resolver las acusaciones de cobro de deudas ilegales con respecto a los clientes de tarjetas de crédito, y el banco también acordó cambiar las prácticas que violaban las leyes de protección al consumidor de California al cobrar cantidades incorrectas, vender deudas malas de tarjetas de crédito y dirigir una fábrica de cobro de deudas que "robó" documentos del tribunal sin revisar primero los archivos mientras se apresuraba a obtener juicios y embargos de salarios. Como parte del acuerdo, se le exigió al banco que dejara de intentar cobrar en más de 528.000 cuentas de clientes.

En 2015, Harris abrió una investigación de la Oficina de Defensores del Pagador, San Diego Gas and Electric, y Southern California Edison con respecto al cierre de la Estación Generadora Nuclear de San Onofre. Los investigadores del estado de California registraron la casa del regulador de servicios públicos de California Michael Peevey y encontraron notas escritas a mano que supuestamente mostraban que se había reunido con un ejecutivo de Edison en Polonia, donde ambos habían negociado los términos del acuerdo de San Onofre, dejando a los contribuyentes de San Diego con una factura de 3.300 millones de dólares para pagar el cierre de la planta. La investigación se cerró en medio de la carrera de Harris para el puesto de Senador de EE.UU. en 2016.

Derechos de privacidad

En febrero de 2012, Harris anunció un acuerdo con Apple, Amazon, Google, Hewlett-Packard, Microsoft e Research in Motion para obligar a que las aplicaciones que se venden en sus tiendas muestren políticas de privacidad prominentes que informen a los usuarios de qué información privada están compartiendo y con quién. Facebook se unió más tarde al acuerdo. Ese verano, Harris anunció la creación de una Unidad de Aplicación y Protección de la Privacidad para hacer cumplir las leyes relacionadas con la ciberprivacidad, el robo de identidad y las violaciones de datos. Más tarde ese mismo año, Harris notificó a un centenar de desarrolladores de aplicaciones para móviles su incumplimiento de las leyes estatales de privacidad y les pidió que crearan políticas de privacidad o que se enfrentaran a una multa de 2.500 dólares cada vez que un residente de California descargara una aplicación que no cumpliera con las normas.

En 2015, Harris obtuvo dos acuerdos con Comcast, uno por un total de 33 millones de dólares por denuncias de que había publicado en línea los nombres, números de teléfono y direcciones de decenas de miles de clientes que habían pagado por el servicio telefónico de voz por protocolo de Internet (VOIP) que no figuraba en la lista, y otro acuerdo por 26 millones de dólares para resolver las denuncias de que había descartado los registros en papel sin omitir o redactar primero la información privada de los clientes. Harris también llegó a un acuerdo con Houzz sobre las acusaciones de que la empresa grababa las llamadas telefónicas sin notificar a los clientes ni a los empleados. Houzz fue obligado a pagar 175.000 dólares, destruir las llamadas grabadas y contratar a un jefe de privacidad, la primera vez que se incluye una disposición de este tipo en un acuerdo con el Departamento de Justicia de California.

Reforma de la justicia penal

Lanzamiento de la División de Reducción de Reincidencia y Reingreso

En noviembre de 2013, Harris puso en marcha la División de Reducción de Reincidencia y Reinserción del Departamento de Justicia de California en asociación con las oficinas del fiscal del distrito en San Diego, Los Ángeles y el condado de Alameda.
En marzo de 2015, Harris anunció la creación de un programa piloto en coordinación con el Departamento del Sheriff del Condado de Los Ángeles llamado "Back on Track LA". Como Back on Track, los delincuentes no violentos primerizos entre 18 y 30 individuos participaron en el programa piloto durante 24-30 meses. Asignado un administrador de casos, los participantes recibieron educación a través de una asociación con el Distrito de Universidades Comunitarias de Los Ángeles y servicios de capacitación laboral.

Condena y retención de reclusos

Después de que la Corte Suprema de los Estados Unidos en 2011 en el caso Brown vs. *Plata declarara que las prisiones de California estaban* tan superpobladas que infligían castigos crueles e inusuales, Harris luchó contra la supervisión de la corte federal, explicando, "Tengo un cliente, y no puedo elegir a mi cliente". El historial de Harris en casos de condenas injustas como fiscal general ha generado algunas críticas de académicos y activistas. La profesora de derecho Lara Bazelon sostiene que Harris "armó los tecnicismos para mantener a los condenados injustamente tras las rejas en lugar de permitirles nuevos juicios". Harris declinó tomar cualquier posición sobre las iniciativas de reforma de la condena penal Prop 36 (2012) y Prop 47 (2014), argumentando que sería inapropiado porque su oficina prepara los folletos de votación. John Van de Kamp, un predecesor como fiscal general, públicamente estuvo en desacuerdo con la justificación.

En septiembre de 2014, los abogados de Harris argumentaron sin éxito en un tribunal contra la liberación anticipada de los presos, citando la necesidad de que los reclusos trabajen en la extinción de incendios. Cuando el memorándum provocó titulares, Harris se pronunció en contra del memorándum. Dijo que no estaba al tanto de ello, y que los abogados habían producido el memorándum sin su conocimiento. Desde los años 40, los reclusos calificados de California tienen la opción de ofrecerse como voluntarios para recibir una formación completa del Departamento de Silvicultura y Protección contra Incendios de California a cambio de una reducción de la condena y un alojamiento más cómodo en la prisión;

los bomberos de la prisión reciben unos 2 dólares al día, y otro 1 dólar cuando luchan contra los incendios.

Pena de muerte

En 2014, el juez Cormac J. Carney anuló la sentencia de muerte del violador y asesino convicto Ernest Dewayne Jones, declarando inconstitucional la pena capital en California basándose en la prohibición de la Octava Enmienda de castigos crueles e inusuales porque "el retraso y la disfunción sistémica" hacían que el proceso fuera arbitrario. Harris apeló, alegando que Carney no había respetado el procedimiento de hábeas *corpus, sumamente limitado, establecido en el precedente vinculante* del Tribunal Supremo de *Teague c. Lane,* que prohibía a los tribunales federales anunciar una nueva norma de derecho constitucional en los casos de hábeas. En un artículo de opinión para el *San Francisco Chronicle*, el académico legal y político Mugambi Jouet criticó la apelación como una defensa de la pena de muerte. La Corte de Apelaciones del 9° Circuito se puso del lado de Harris cuando unánimemente revocó la orden de Carney.

"Me opongo a cualquier política que niegue en nuestro país a cualquier ser humano el acceso a la seguridad pública, la educación pública o la salud pública, punto." - Kamala Harris

Derechos LGBT

Oponerse a la Propuesta 8

En 2008, los votantes de California aprobaron la Proposición 8, una enmienda constitucional estatal que establece que sólo son válidos los matrimonios "entre un hombre y una mujer". Los opositores presentaron impugnaciones legales poco después de su aprobación, y un par de parejas del mismo sexo presentaron una demanda contra la iniciativa en un tribunal federal en el caso *Perry contra Schwarzenegger* (más tarde *Hollingsworth contra Perry*). En sus campañas de 2010, el fiscal general de California Jerry Brown y Harris se comprometieron a no defender la Proposición 8.

Después de ser elegida, Harris declaró que su oficina no defendería la prohibición del matrimonio, dejando la tarea a los proponentes de la Proposición 8. En febrero de 2013, Harris presentó un escrito en calidad de amicus curiae, argumentando que la Proposición 8 era inconstitucional y que los patrocinadores de la iniciativa no tenían capacidad legal para representar los intereses de California defendiendo la ley en un tribunal federal.

En junio de 2013, la Corte Suprema dictaminó, 5-4, que los proponentes de la Proposición 8 carecían de capacidad legal para defenderla en un tribunal federal. Al día siguiente, Harris dio un discurso en el centro de Los Ángeles instando al Noveno Circuito a levantar la suspensión que prohíbe los matrimonios del mismo sexo tan pronto como sea posible. La suspensión fue levantada dos días después.

BIDEN
HARRIS

La prohibición de la defensa contra el pánico de los homosexuales y transexuales

En 2014, el Fiscal General Kamala Harris co-patrocinó la legislación para prohibir la defensa contra el pánico de los homosexuales y transexuales en la corte, la cual fue aprobada, y California se convirtió en el primer estado con dicha legislación. Una legislación como esta está destinada a abordar los crímenes de odio.

Michelle-Lael B. Norsworthy contra Jeffrey Beard y otros.

En febrero de 2014, Michelle-Lael Norsworthy, una reclusa transexual de la Prisión Estatal de Mule Creek de California, presentó una demanda federal basada en el hecho de que el Departamento de Correcciones y Rehabilitación de California no le proporcionó lo que ella argumentaba que era una cirugía de reasignación de sexo (SRS) médicamente necesaria.

En abril de 2015, un juez federal ordenó al estado que proporcionara a Norsworthy el SRS, encontrando que los funcionarios de la prisión habían sido "deliberadamente indiferentes a su grave necesidad médica". Harris, en representación del CDCR, apeló la orden ante el Tribunal de Apelaciones del Noveno Circuito, argumentando que la psicoterapia, así como la terapia hormonal que Norsworthy había estado recibiendo por su disforia de género durante los catorce años anteriores, eran un tratamiento médico suficiente, y que no había "ninguna evidencia de que Norsworthy esté en grave e inmediato peligro físico o emocional". Mientras Harris defendía la posición del estado en el tribunal, dijo que en última instancia presionó al Departamento de Correcciones y Rehabilitación de California para que cambiara su política.

En agosto de 2015, mientras estaba pendiente la apelación del Estado, Norsworthy fue puesto en libertad condicional, obviando el deber del Estado de proporcionarle atención médica a la reclusa y haciendo que el caso fuera discutible.

La seguridad pública

Esfuerzos contra la falsificación

En 2011, Harris instó a que se impusieran sanciones penales a los padres de niños que faltan a la escuela como lo hizo como Fiscal de Distrito de San Francisco, permitiendo que el tribunal aplazara el juicio si el padre aceptaba un período de mediación para que su hijo volviera a la escuela. Los críticos acusaron a los fiscales locales que implementaron sus directivas de ser demasiado entusiastas en su aplicación, y la política de Harris afectó negativamente a algunas familias.

En 2013, Harris publicó un informe titulado "In School + On Track", en el que se determinó que más de 250.000 estudiantes de escuelas primarias del estado estaban "crónicamente ausentes" y que la tasa de ausentismo escolar en todo el estado para los estudiantes de primaria en el año escolar 2012-2013 era de casi el treinta por ciento, a un costo de casi 1.400 millones de dólares para los distritos escolares, ya que la financiación se basa en las tasas de asistencia.

"Si no levantamos a las mujeres y las familias, todos se quedarán cortos." - Kamala Harris

La protección del medio ambiente

Harris dio prioridad a la protección del medio ambiente como fiscal general, asegurando primero un acuerdo de 44 millones de dólares para resolver todos los daños y costos asociados con el derrame de petróleo de Cosco Busan, en el que un buque portacontenedores chocó con el puente de la bahía de San Francisco-Oakland y derramó 50.000 galones de combustible de búnker en la bahía de San Francisco.

Tras el derrame de petróleo del Refugio 2015, que depositó unos 140.000 galones de crudo frente a la costa de Santa Bárbara (California), Harris recorrió la costa y dirigió los recursos y abogados de su oficina para investigar posibles violaciones criminales. Después de eso, el operador de Plains All American Pipeline fue acusado de 46 cargos penales relacionados con el derrame, y un empleado fue acusado de tres cargos penales.

En 2019, un jurado de Santa Bárbara emitió un veredicto en el que declaraba a Plains culpable de no mantener adecuadamente su oleoducto y de otros ocho cargos por delitos menores; fueron condenados a pagar más de 3 millones de dólares en multas y cuotas.

Entre 2015 y 2016, Harris consiguió varios acuerdos multimillonarios con las empresas de servicios de combustible Chevron, BP, ARCO, Phillips 66 y ConocoPhillips para resolver las acusaciones de que no supervisaban adecuadamente los materiales peligrosos de sus tanques de almacenamiento subterráneo utilizados para almacenar gasolina para su venta al por menor en cientos de gasolineras de California. En el verano de 2016, el fabricante de automóviles Volkswagen AG acordó pagar hasta 14.700 millones de dólares para resolver una serie de reclamaciones relacionadas con los llamados dispositivos de derrota utilizados para engañar a las normas de emisiones de sus automóviles diesel, mientras que en realidad emiten hasta cuarenta veces los niveles de óxidos de nitrógeno nocivos permitidos por las leyes estatales y federales. Harris y la presidenta de la Junta de Recursos Atmosféricos de California, Mary D. Nichols, anunciaron que California recibiría 1.180 millones de dólares, así como otros 86 millones de dólares pagados al estado de California en concepto de sanciones civiles.

La aplicación de la ley

La Proposición 69 de California (2004) ordenó a las fuerzas del orden que recogieran muestras de ADN de cualquier adulto arrestado por un delito grave y de personas arrestadas por ciertos delitos. En 2012, Harris anunció que el Departamento de Justicia de California había mejorado sus capacidades de análisis de ADN de tal manera que las muestras almacenadas en los laboratorios de criminalística del estado podían ahora analizarse cuatro veces más rápido, en un plazo de treinta días.

En consecuencia, Harris informó que su Equipo de Servicio Rápido de ADN dentro de la Oficina de Servicios Forenses despejó todo el atraso de ADN de California por primera vez en la historia, habiendo desarrollado un proceso que permitió un mayor volumen de análisis de 5.400 muestras de evidencia - un aumento del 11 por ciento desde 2010 (4.800) y del 24 por ciento desde 2009 (4.100). En abril de 2014, el equipo de Harris fue galardonado con el Premio a la Innovación Profesional en Servicios a Víctimas del Departamento de Justicia de los Estados Unidos. Más tarde, la oficina de Harris recibiría una subvención de 1,6 millones de dólares de la iniciativa del Fiscal del Distrito de Manhattan para eliminar los atrasos de los kits de violación no comprobados.

En 2014, Harris introdujo OpenJustice, una iniciativa de datos de justicia penal diseñada con el profesor Steven Raphael, que pone a disposición del estado datos sobre las tasas de arresto, las muertes bajo custodia de las fuerzas del orden, las muertes relacionadas con arrestos y las muertes de las fuerzas del orden. Las mejoras posteriores de la plataforma revelaron datos sobre las tasas de liquidación y las disparidades raciales en el sistema de justicia penal.

En 2015, Harris llevó a cabo un examen de 90 días de los sesgos implícitos en la vigilancia y el uso de la fuerza mortal por parte de la policía. En abril de 2015, Harris introdujo el primero de su tipo "Policías con principios": Justicia Procesal y Sesgo Implícito", diseñado en conjunto con la psicóloga y profesora de la Universidad de Stanford, Jennifer Eberhardt, para ayudar a los oficiales de policía a superar las barreras a la policía neutral y reconstruir la confianza entre la policía y la comunidad. Todo el personal de nivel de mando recibió la capacitación. La capacitación formaba parte de un conjunto de reformas introducidas en el Departamento de Justicia de California, que también incluía recursos adicionales desplegados para aumentar el reclutamiento y la contratación de diversos agentes especiales, una función ampliada del departamento para investigar las investigaciones de disparos relacionadas con los agentes y la policía comunitaria.

Ese mismo año, el Departamento de Justicia de California de Harris se convirtió en la primera agencia estatal del país en exigir a todos sus agentes de policía que llevaran cámaras corporales. Harris también anunció una nueva ley estatal que exige a todos los organismos de aplicación de la ley de California que recopilen, informen y publiquen estadísticas ampliadas sobre el número de personas que han recibido disparos, han sido gravemente heridas o han muerto a manos de agentes de la paz en todo el estado.

Más tarde ese año, Harris apeló la orden de un juez de asumir la acusación de un caso de asesinato masivo de alto perfil y expulsar a los 250 fiscales de la oficina del fiscal del distrito del Condado de Orange por acusaciones de mala conducta del fiscal republicano. Tony Rackauckas. Rackauckas fue acusado de emplear ilegalmente a informantes de la cárcel y de ocultar pruebas. Harris señaló que era innecesario prohibir a los 250 fiscales que trabajaran en el caso, ya que sólo unos pocos habían estado directamente involucrados, prometiendo más tarde una investigación penal más estrecha. El Departamento de Justicia de los Estados Unidos inició una investigación sobre Rackauckas en diciembre de 2016, pero no fue reelegido.

En 2016, Harris anunció una investigación de patrones y prácticas sobre supuestas violaciones de los derechos civiles y uso excesivo de la fuerza por parte de los dos mayores organismos encargados de hacer cumplir la ley en el condado de Kern, California, el Departamento de Policía de Bakersfield y el Departamento del Sheriff del condado de Kern.

Etiquetado como "los departamentos de policía más mortíferos de América" en una exposición de cinco partes de *Guardian*, una investigación separada encargada por la ACLU y presentada al Departamento de Justicia de California corroboró los informes sobre el uso excesivo de la fuerza por parte de la policía. La ACLU determinó que los agentes habían participado en patrones de uso excesivo de la fuerza -incluidos disparos y palizas hasta la muerte a personas desarmadas- así como en la práctica de presentar cargos penales de represalia contra personas sometidas a una fuerza excesiva. Un análisis más detallado también reveló la tasa más alta de homicidios policiales en el país y de uso excesivo de la fuerza, que dio lugar a 17 muertes de civiles desarmados entre 2009 y 2013 en forma de ataques con perros y tasación.

Planned Parenthood

En 2016, la oficina de Harris incautó videos y otra información del apartamento de un activista antiaborto que había hecho grabaciones secretas y luego acusó a los médicos de Planned Parenthood de vender ilegalmente tejido fetal. Harris había anunciado que su oficina investigaría a la activista en el verano de 2015. Se enfrentaba a crecientes críticas por no tomar medidas públicas cuando Planned Parenthood presentó una demanda contra la activista.

"No podemos tolerar una perspectiva que consiste en retroceder y no entender que las mujeres tienen agencia. Las mujeres tienen valor. Las mujeres tienen autoridad para tomar decisiones sobre sus propias vidas y sus propios cuerpos." - Kamala Harris

Crímenes sexuales

En 2011, Harris obtuvo una declaración de culpabilidad y una sentencia de cuatro años de prisión de un acosador que usó Facebook y técnicas de ingeniería social para acceder ilegalmente a las fotografías privadas de las mujeres cuyas cuentas de medios sociales secuestró. Harris comentó que Internet había "abierto una nueva frontera para el crimen". Más tarde ese año, Harris creó la Unidad de Crimen Electrónico dentro del Departamento de Justicia de California, una unidad de 20 abogados específicamente enfocada a los crímenes tecnológicos.

En 2015, varios proveedores de los llamados sitios pornográficos de venganza con sede en California fueron detenidos, acusados de delitos graves y condenados a largas penas de prisión. En el primer enjuiciamiento de este tipo en los Estados Unidos, Kevin Bollaert fue declarado culpable de 21 cargos de robo de identidad y seis de extorsión y condenado a 18 años de prisión. Harris planteó estos casos cuando la congresista de California Katie Hill fue objeto de una explotación cibernética similar por parte de su ex marido y fue obligada a dimitir a finales de 2019.

En 2016, Harris anunció el arresto del director general de Backpage Carl Ferrer por cargos de proxenetismo de un menor, proxenetismo y conspiración para cometerlo. La orden alegaba que el 99 por ciento de los ingresos de Backpage era directamente atribuible a los anuncios relacionados con la prostitución, muchos de los cuales implicaban a víctimas del tráfico sexual, incluyendo niños menores de 18 años.

Los tribunales de California desestimaron el cargo de proxenetismo contra Ferrer en 2016 basándose en la Sección 230 de la Ley de Decencia en las Comunicaciones, pero en 2018, Ferrer se declaró culpable en California de blanqueo de dinero y aceptó prestar declaración contra los antiguos copropietarios de Backpage. Ferrer se declaró culpable simultáneamente de los cargos de lavado de dinero y conspiración para facilitar la prostitución en la corte estatal de Texas y la corte federal de Arizona. Bajo presión, Backpage anunció que retiraba su sección para adultos de todos sus sitios en EE.UU. Harris acogió con agrado el movimiento, diciendo: "Espero que cierren completamente". Las investigaciones continuaron después de que se convirtiera en senadora, y, en abril de 2018, Backpage y los sitios afiliados fueron confiscados por la policía federal.

Organizaciones delictivas transnacionales

A principios de 2011, Harris ordenó el arresto de tres hombres vinculados al cártel de Tijuana sospechosos de conspirar para asesinar a una familia en San Diego, incautándose de dos armas de asalto, más de mil rondas de municiones y 20.000 dólares en efectivo. Más tarde ese año, Harris ordenó tres redadas coordinadas de la policía en el condado de Contra Costa, el Valle Central y el condado de San Bernardino, que resultaron en cientos de arrestos de líderes de pandillas de Nuestra Familia, Norteños y el Club de Motociclistas de Vagos. Los agentes del orden también se incautaron de grandes cantidades de metanfetamina, dinero en efectivo y armas de fuego ilegales, incluida una pistola antitanque y un lanzacohetes.

En el verano de 2012, Harris firmó un acuerdo con la Procuradora General de México, Marisela Morales, para mejorar la coordinación de los recursos de las fuerzas del orden destinados a las bandas transnacionales que se dedican a la venta y la trata de seres humanos a través del paso fronterizo de San Ysidro. En el acuerdo se pedía una integración más estrecha de las investigaciones entre las oficinas y el intercambio de prácticas óptimas.

En septiembre de 2012, Harris anunció que el Gobernador Jerry Brown había firmado dos proyectos de ley que ella había patrocinado para combatir la trata de personas. En noviembre, Harris presentó un informe titulado "El estado de la trata de personas en California 2012" en un simposio al que asistieron la secretaria de trabajo de los Estados Unidos, Hilda Solís, y el Fiscal General Morales, en el que se expuso la creciente prevalencia de la trata de personas en el estado y se destacó la participación de bandas transnacionales en la práctica.

A principios de 2014, Harris emitió un informe titulado "Pandillas más allá de las fronteras": California y la lucha contra la delincuencia transnacional", en el que se abordaba el papel destacado de la trata de drogas, armas y seres humanos, el blanqueo de dinero y los delitos tecnológicos empleados por diversos cárteles de la droga de México, Armenian Power, la pandilla de la calle 18 y la MS-13, y en el que se ofrecían recomendaciones para que las fuerzas del orden estatales y locales combatieran la actividad delictiva.

Más tarde ese mismo año, Harris encabezó una delegación bipartidista de fiscales generales del Estado a la Ciudad de México para discutir el crimen transnacional con los fiscales mexicanos. Posteriormente, Harris convocó una cumbre centrada en el uso de la tecnología para combatir el crimen organizado transnacional con funcionarios estatales y federales de los Estados Unidos, México y El Salvador.

En 2015, Harris ordenó el arresto de 75 personas en el condado de Merced y 52 personas en el condado de Tulare afiliadas a los norteños. La oficina de Harris también desarticuló el robo de identidad masivo y la estafa de fraude fiscal perpetrada por los Crips en Long Beach, CA. Treinta y dos miembros fueron arrestados con cargos que incluyen 283 cargos de conspiración criminal, 299 cargos de robo de identidad y 226 cargos de robo mayor, que ascienden a más de 3.3 millones de dólares robados por un esquema de robo de identidad y 11 millones de dólares robados por un esquema de fraude fiscal.

En 2016, Harris anunció el arresto generalizado de más de cincuenta miembros de la mafia mexicana, alias La Eme, incautando más de sesenta armas de fuego, más de 95.000 dólares en efectivo y 1,6 millones de dólares en metanfetaminas, cocaína y marihuana en el condado de Riverside. Más tarde ese año, la oficina de Harris coordinó con agentes federales una redada en docenas de negocios en el Distrito de la Moda de Los Ángeles que operaban como un importante centro de lavado de dinero para los traficantes de narcóticos en México, arrestando a nueve personas con cargos de lavado de dinero a través de un esquema de intercambio de pesos en el mercado negro e incautando casi 65 millones de dólares en ganancias ilegales.

Senado de los Estados Unidos (2017-presente)

Elección

Después de 24 años como senadora junior de California, la senadora Barbara Boxer (D-CA) anunció su intención de retirarse del Senado de los Estados Unidos al final de su mandato en 2016. Harris fue la primera candidata en declarar su intención de presentarse para el puesto de senadora de Boxer.

Harris anunció oficialmente el lanzamiento de su campaña el 13 de enero de 2015. Harris fue una de las principales contendientes desde el comienzo de su campaña: semanas después de que anunciara su campaña, una encuesta de Public Policy Polling la mostró como líder en un hipotético enfrentamiento contra el alcalde de Los Ángeles, Antonio Villaraigosa, del 41% al 16%. Los funcionarios electos actuales y anteriores del estado, John Chiang, John Garamendi, Bill Lockyer, Gavin Newsom y Alex Padilla, se negaron a presentarse.

En febrero de 2016, el Partido Demócrata de California votó en su convención para respaldar a Harris, quien recibió casi el ochenta por ciento de los votos. Tres meses después, el gobernador Jerry Brown la apoyó.

En las primarias del 7 de junio, Harris quedó en primer lugar con el cuarenta por ciento de los votos y ganó con pluralidad en la mayoría de los condados. El 19 de julio, el presidente Barack Obama y el vicepresidente Joe Biden apoyaron a Harris.

Harris se enfrentó a la congresista y compañera demócrata Loretta Sánchez en las elecciones generales. Era la primera vez que un republicano no aparecía en una elección general para el Senado desde que California comenzó a elegir directamente a los senadores en 1914. En las elecciones de noviembre de 2016, Harris derrotó a Sánchez, capturando más del sesenta por ciento de los votos, con todos los condados menos cuatro. Tras su victoria, prometió proteger a los inmigrantes de las políticas del presidente electo Donald Trump y anunció su intención de seguir siendo el Fiscal General hasta finales de 2016.

Cargos y posiciones políticas

2017

El 28 de enero, después de que Trump firmara la Orden Ejecutiva 13769, que prohibía a los ciudadanos de varios países de mayoría musulmana entrar en los EE.UU. durante noventa días, condenó la orden y fue una de las muchas que la describió como una "prohibición de los musulmanes". Llamó al jefe de gabinete de la Casa Blanca John F. Kelly a su casa para recabar información y rechazar la orden ejecutiva.

En febrero, Harris se opuso a que el gabinete de Trump eligiera a Betsy DeVos, para la Secretaría de Educación, y a Jeff Sessions, para el Fiscal General de los Estados Unidos. A principios de marzo, pidió a Sessions que dimitiera, después de que se informara de que Sessions habló dos veces con el embajador ruso en los Estados Unidos, Sergey Kislyak.

En abril, Harris votó en contra de la confirmación de Neil Gorsuch en la Corte Suprema de los Estados Unidos. Más tarde ese mismo mes, Harris realizó su primer viaje al extranjero al Oriente Medio, visitando las tropas de California estacionadas en el Iraq y el campamento de refugiados de Zaatari en Jordania, el mayor campamento de refugiados sirios.

En junio, Harris atrajo la atención de los medios de comunicación por su interrogatorio a Rod Rosenstein, el fiscal general adjunto, por el papel que desempeñó en el despido de James Comey, el director de la Oficina Federal de Investigación, en mayo de 2017. La naturaleza procesal de su interrogatorio hizo que el senador John McCain, miembro *ex oficio* del Comité de Inteligencia, y el senador Richard Burr, presidente del Comité, la interrumpieran y le pidieran que fuera más respetuosa con el testigo.

Una semana después, interrogó a Jeff Sessions, el fiscal general, sobre el mismo tema. Sessions dijo que su interrogatorio "me pone nervioso". El hecho de que Burr haya señalado a Harris provocó que los medios de comunicación sugirieran que su comportamiento era sexista, y los comentaristas argumentaron que Burr no trataría a un colega masculino del Senado de manera similar.

En diciembre, Harris pidió la dimisión del senador Al Franken, afirmando en Twitter: "El acoso sexual y la mala conducta no deben ser permitidos por nadie y no deben ocurrir en ninguna parte".

2018

En enero, Harris fue nombrado para el Comité Judicial del Senado tras la dimisión de Al Franken. Más tarde ese mes, Harris cuestionó a la Secretaria de Seguridad Nacional Kirstjen Nielsen por favorecer a los inmigrantes noruegos sobre los demás y por afirmar que no sabía que Noruega es un país predominantemente blanco.

En abril y mayo, Harris interrogó al director general de Facebook, Mark Zuckerberg, por el uso indebido de los datos de los usuarios y el denunciante Christopher Wylie sobre los informes de que Cambridge Analytica se apropió indebidamente de los datos de 87 millones de usuarios de Facebook para suprimir los votos de los afroamericanos y la medida en que Facebook violaba la privacidad de sus usuarios.

En mayo, Harris interrogó acaloradamente al Secretario Nielsen sobre la política de separación familiar de la administración Trump, según la cual los niños eran separados de sus familias cuando los padres eran tomados en custodia por haber entrado ilegalmente en los Estados Unidos. En junio, después de visitar uno de los centros de detención cerca de la frontera en San Diego, Harris se convirtió en el primer senador que exigió la renuncia de Nielsen.

En las audiencias de confirmación de septiembre y octubre de Brett Kavanaugh en el Tribunal Supremo, Harris interrogó a Brett Kavanaugh sobre una reunión que pudo haber tenido en relación con la investigación de Mueller con un miembro de Kasowitz Benson Torres, el bufete de abogados fundado por el abogado personal del Presidente Marc Kasowitz. Kavanaugh no pudo responder y se desvió repetidamente. Harris también participó en el interrogatorio del director del FBI sobre el limitado alcance de la investigación sobre Kavanaugh en relación con las acusaciones de agresión sexual. Votó en contra de su confirmación.

Harris fue un objetivo de los atentados con bombas de correo de los Estados Unidos en octubre de 2018.

En diciembre, el Senado aprobó la Ley de Justicia para las Víctimas de Linchamiento (S. 3178), patrocinada por Harris. El proyecto de ley, que murió en la Cámara, habría hecho del linchamiento un crimen federal de odio.

2019

El 22 de marzo, Harris pidió que el fiscal general de los Estados Unidos, William Barr, testificara ante el Congreso sobre la investigación del consejero especial Robert Mueller después de que éste presentara su informe sobre la interferencia rusa en las elecciones de 2016. "Necesitamos total transparencia aquí", dijo Harris. Dos días después, Barr publicó un "resumen" de 4 páginas del redactado Informe Mueller, que fue criticado como una deliberada mala caracterización de sus conclusiones.

Ese mismo mes, Harris fue uno de los doce senadores demócratas que firmaron una carta dirigida por Mazie Hirono en la que se cuestionaba la decisión del Fiscal General Barr de ofrecer "su propia conclusión de que la conducta del Presidente no equivalía a una obstrucción de la justicia" y pedía que se investigara si el resumen de Barr del Informe Mueller y su conferencia de prensa del 18 de abril eran engañosos.

El 1 de mayo de 2019, Barr testificó ante el Comité Judicial del Senado. Durante la audiencia, Barr se mantuvo desafiante sobre las tergiversaciones en el resumen de cuatro páginas que había publicado antes del informe completo. Harris le preguntó a Barr si había revisado la evidencia subyacente antes de decidir no acusar al Presidente de obstrucción de la justicia. Barr admitió que ni él, ni Rod Rosenstein, ni nadie de su oficina revisaron las pruebas que apoyaban el informe antes de tomar la decisión de acusación. Posteriormente, Harris pidió a Barr que dimitiera y lo acusó de negarse a responder a sus preguntas porque podía exponerse al perjurio, y al declarar sus respuestas lo descalificó para ejercer la fiscalía general de los Estados Unidos.

Dos días después, Harris exigió de nuevo que el inspector general del Departamento de Justicia, Michael E. Horowitz, investigara si el Fiscal General Barr accedió a la presión de la Casa Blanca para investigar a los enemigos políticos de Trump.

En noviembre de 2019, el senador Harris pidió que se investigara la muerte de Roxsana Hernández, una mujer transgénero e inmigrante que murió bajo la custodia del ICE.

En diciembre, Harris encabezó un grupo de senadores demócratas y organizaciones de derechos civiles que exigían la destitución del asesor principal de la Casa Blanca, Stephen Miller, después de que los correos electrónicos publicados por el Southern Poverty Law Center revelaran la frecuente promoción de literatura nacionalista blanca a los editores del sitio web de Breitbart.

2020

Antes de la apertura del juicio político de Donald Trump el 16 de enero de 2020, Harris pronunció un discurso en el Senado, en el que expresó su opinión sobre la integridad del sistema judicial estadounidense y el principio de que nadie, ni siquiera el presidente en ejercicio, está por encima de la ley. Harris pidió más tarde al Presidente del Poder Judicial del Senado, Lindsey Graham, que detuviera todos los nombramientos judiciales durante el juicio político, a lo que Graham accedió. Harris votó para condenar al Presidente por cargos de abuso de poder y obstrucción del Congreso.

Harris ha trabajado en proyectos de ley bipartidistas con copatrocinadores republicanos, incluyendo un proyecto de reforma de la fianza con el senador Rand Paul, un proyecto de seguridad electoral con el senador James Lankford, y un proyecto de acoso en el lugar de trabajo con la senadora Lisa Murkowski. Otros senadores republicanos que trabajan con Harris en el Comité de Inteligencia del Senado, incluyendo a Marco Rubio, Richard Burr y Roy Blunt, también la han elogiado como "bien preparada", "efectiva" y "un estudio rápido". Lindsey Graham, que ha servido con Harris en los comités de Presupuesto y Justicia del Senado, dijo: "Ella es dura. Es inteligente. Es dura".

Harris votó en contra de la enmienda del senador Bernie Sanders para reducir el tamaño de la Ley de Autorización de Defensa Nacional para el año fiscal 2021, que asciende a 740.000 millones de dólares.

2021

Tras su elección como Vicepresidenta de los Estados Unidos, se espera que Harris renuncie a su puesto antes de asumir el cargo el 20 de enero de 2021 y sea sustituida por el Secretario de Estado de California, Alex Padilla.

Asignaciones del comité

Harris es miembro de los siguientes comités:

- **Comité de Presupuesto**
- **Comité de Seguridad Nacional y Asuntos Gubernamentales**

    - Subcomité de Supervisión del Gasto Federal y Gestión de Emergencias
    - Subcomité de Asuntos Reglamentarios y Gestión Federal

- **El Comité Selecto de Inteligencia**

- **Comité de la Judicatura**
    - Subcomité de la Constitución
    - Subcomité de Supervisión, Acción de Agencia, Derechos Federales y Tribunales Federales
    - Subcomité de Privacidad, Tecnología y Derecho

Membresías del Caucus

- Congreso Caucus de América del Pacífico Asiático
- Caucus Negro del Congreso
- Grupo del Congreso para asuntos de la mujer

Elecciones presidenciales de 2020

Campaña presidencial

"Esta es la cosa: en cada oficina que he corrido he sido el primero en ganar. La primera persona de color. Primera mujer. Primera mujer de color. Siempre." - Kamala Harris

Harris había sido considerado como uno de los principales contendientes y potencial candidato a la nominación demócrata para Presidente en 2020. En junio de 2018, se le citó como "no lo descarto". En julio de 2018, se anunció que publicaría unas memorias, una señal de una posible candidatura.

El 21 de enero de 2019, Harris anunció oficialmente su candidatura a la presidencia de los Estados Unidos en las elecciones presidenciales de los Estados Unidos de 2020. En las primeras 24 horas después del anuncio de su candidatura, empató un récord establecido por Bernie Sanders en 2016 por la mayor cantidad de donaciones recaudadas en el día siguiente al anuncio. Según una estimación de la policía, más de 20.000 personas asistieron al acto oficial de lanzamiento de su campaña en su ciudad natal de Oakland (California) el 27 de enero.

Durante el primer debate presidencial demócrata en junio de 2019, Harris regañó al ex vicepresidente Joe Biden por los "hirientes" comentarios que hizo, hablando con cariño de los senadores que se opusieron a los esfuerzos de integración en la década de 1970 y trabajando con ellos para oponerse a la obligatoriedad del transporte escolar. El apoyo de Harris subió entre seis y nueve puntos en las encuestas posteriores a ese debate. En el segundo debate de agosto, Harris se enfrentó a Biden y a la congresista Tulsi Gabbard por su historial como Fiscal General. El San Jose Mercury News evaluó que algunas de las acusaciones de Gabbard y Biden eran acertadas, como la de bloquear las pruebas de ADN de un condenado a muerte, mientras que otras no resistieron el escrutinio. Inmediatamente después, Harris cayó en las encuestas tras ese debate.

Durante los siguientes meses, sus números de encuestas cayeron a los bajos dígitos. Cuando los liberales estaban cada vez más preocupados por los excesos del sistema de justicia penal, Harris se enfrentó a las críticas de los reformistas por las políticas de mano dura contra el crimen que aplicó cuando era la fiscal general de California. Por ejemplo, en 2014, decidió defender la pena de muerte de California en los tribunales.

Antes y durante su campaña presidencial, una organización informal en línea que usaba el hashtag #KHive se formó para apoyar su candidatura y defenderla de los ataques racistas y sexistas. Según el *Daily Dot*, Joy Reid utilizó por primera vez el término en un tweet de agosto de 2017 diciendo: "@DrJasonJohnson @ZerlinaMaxwell y yo tuvimos una reunión y decidimos que se llama el K-Hive".

El 3 de diciembre de 2019, Harris se retiró de la búsqueda de la nominación demócrata para el 2020, alegando escasez de fondos. En marzo de 2020, Harris apoyó a Joe Biden para Presidente.

La campaña vicepresidencial

En mayo de 2019, miembros de alto rango del Caucus Negro del Congreso apoyaron la idea de un boleto Biden-Harris. A finales de febrero, Biden obtuvo una victoria aplastante en las primarias demócratas de Carolina del Sur en 2020 con el apoyo del diputado Jim Clyburn, con más victorias en el Súper Martes. A principios de marzo, Clyburn sugirió a Biden que eligiera a una mujer negra como compañera de fórmula, comentando que "las mujeres afroamericanas necesitan ser recompensadas por su lealtad". En marzo, Biden se comprometió a elegir una mujer para su compañero de fórmula.

El 17 de abril de 2020, Harris respondió a las especulaciones de los medios de comunicación y dijo que "sería un honor" ser la compañera de fórmula de Biden. A finales de mayo, en relación con la muerte de George Floyd y las consiguientes protestas y manifestaciones, Biden se enfrentó a nuevos llamamientos para seleccionar a una mujer negra como su compañera de fórmula, destacando las credenciales de las fuerzas del orden de Harris y Val Demings.

El 12 de junio, *The New York Times* informó de que Harris se perfilaba como la principal candidata para ser la compañera de fórmula de Biden, ya que es la única mujer afroamericana con la experiencia política típica de los vicepresidentes. El 26 de junio, CNN informó que más de una docena de personas cercanas al proceso de búsqueda de Biden consideraban a Harris uno de los cuatro principales contendientes de Biden, junto con Elizabeth Warren, Val Demings y Keisha Lance Bottoms.

El 11 de agosto de 2020, Biden anunció que había elegido a Harris; es la primera afroamericana, la primera india americana y la tercera mujer, después de Geraldine Ferraro y Sarah Palin, en ser elegida como candidata a la vicepresidencia de un partido importante.

Vicepresidente electo de los Estados Unidos

Tras la elección de Joe Biden como presidente de los Estados Unidos en las elecciones presidenciales de 2020, Harris asumirá el cargo de vicepresidente de los Estados Unidos el 20 de enero de 2021. Será la primera mujer vicepresidenta, así como la primera persona de color que ocupe el cargo desde Charles Curtis, un nativo americano, que sirvió bajo el mando de Herbert Hoover de 1929 a 1933". También será la tercera persona de reconocida ascendencia no europea en alcanzar uno de los más altos cargos del poder ejecutivo, después de Curtis y Obama.

"Esta es la verdad que la gente necesita entender: Para afrontar los desafíos del siglo XXI, debemos potenciar a las mujeres y a las familias. Si no potenciamos a las mujeres y a las familias, todos se quedarán cortos". - Kamala Harris

VOTE
BIDEN
HARRIS
COUNT
THE
VOTES!

Premios y honores

En 2005, la Asociación Nacional de Fiscales Negros concedió a Harris el Premio Thurgood Marshall. Ese año, apareció junto con otras 19 mujeres en un informe de *Newsweek en el que se describían* "20 de las mujeres más poderosas de Estados Unidos".

En 2006, Harris fue elegido vicepresidente de la Junta Directiva de la Asociación Nacional de Fiscales de Distrito y nombrado copresidente de su Comité de Correcciones y Reingresos. También fue seleccionada para copresidir el comité de delitos sexuales de la Asociación de Fiscales de Distrito de California. Ese mismo año, la Universidad Howard otorgó a Harris su Premio a los Alumnos Destacados por "su extraordinaria labor en los ámbitos del derecho y el servicio público". "En 2008, fue nombrada como uno de los 34 abogados del año por la revista *California Lawyer*. Un artículo del *New York Times* publicado más tarde ese año también la identificó como una mujer con potencial para convertirse en Presidenta de los Estados Unidos, destacando su reputación de "dura luchadora".

En 2010, el mayor periódico jurídico de California, *The Daily Journal*, designó a Harris como una de las 75 principales mujeres litigantes del estado y una de las 100 principales abogadas del estado. En 2013, el *tiempo nombró a Harris* como una de las "100 personas más influyentes del mundo". En 2016, el Centro de Justicia Bipartidista 20/20 otorgó a Harris el Premio de Justicia Bipartidista junto con el Senador Tim Scott. En 2018, Harris fue nombrada la receptora del Premio Ambiental de ECOS por su liderazgo en la protección del medio ambiente.

La vida personal

Harris se casó con el abogado Douglas Emhoff, que fue en su día socio encargado de la oficina de Venable LLP en Los Ángeles, el 22 de agosto de 2014, en Santa Bárbara, California. Harris es la madrastra de los dos hijos de Emhoff de su anterior matrimonio con la productora de cine Kerstin Emhoff. En agosto de 2019, Harris y su marido tenían un valor neto estimado de 5,8 millones de dólares.

Harris es un americano multirracial y un bautista, miembro de la Tercera Iglesia Bautista de San Francisco, una congregación de las Iglesias Bautistas Americanas de EE.UU. Su hermana, Maya, es abogada y analista política de MSNBC; su cuñado, Tony West, es el consejero general de Uber y un antiguo alto funcionario del Departamento de Justicia de los Estados Unidos. Su sobrina, Meena, es la fundadora de la Phenomenal Women Action Campaign y ex jefa de estrategia y liderazgo de Uber.

"Digamos la verdad: La gente está protestando porque los negros han sido tratados como menos humanos en América. Porque nuestro país nunca ha abordado completamente el racismo sistémico que ha plagado nuestro país desde sus primeros días. Es el deber de cada americano arreglarlo. Ya no se puede esperar en el banquillo, esperando un cambio incremental. En tiempos como estos, el silencio es complicidad". - Kamala Harris

Interesantes biografías, atractivas presentaciones y más.

Únete al exclusivo club de críticos de la Biblioteca Unida!

Recibirás un nuevo libro en tu buzón cada viernes.

Únase a nosotros hoy, vaya a: https://campsite.bio/unitedlibrary

LIBROS DE LA BIBLIOTECA UNIDA

Kamala Harris: La biografía

Barack Obama: La biografía

Joe Biden: La biografía

Adolf Hitler: La biografía

Albert Einstein: La biografía

Aristóteles: La biografía

Donald Trump: La biografía

Marco Aurelio: La biografía

Napoleón Bonaparte: La biografía

Nikola Tesla: La biografía

Papa Benedicto: La biografía

El Papa Francisco: La biografía

Y más...

Vea todos nuestros libros publicados aquí:
https://campsite.bio/unitedlibrary

SOBRE LA BIBLIOTECA UNIDA

La Biblioteca Unida es un pequeño grupo de escritores entusiastas. Nuestro objetivo es siempre publicar libros que marquen la diferencia, y estamos muy preocupados por si un libro seguirá vivo en el futuro. United Library es una compañía independiente, fundada en 2010, y ahora publica alrededor de 50 libros al año.

Joseph Bryan - FUNDADOR/EDITOR DE GESTIÓN

Amy Patel - ARCHIVISTA Y ASISTENTE DE PUBLICACIÓN

Mary Kim - DIRECTORA DE OPERACIONES

Mary Brown - EDITORA Y TRADUCTORA

Terry Owen - EDITOR

CPSIA information can be obtained
at www.ICGtesting.com
Printed in the USA
BVHW051719070421
604341BV00007B/1153